룩시온.

2015년
12월 21일.

TAGE.07

아빠,
내 8살 생일
때는
돌아와야
돼.

젊은이
들은
……
무사히
빠져
나갔나.

미안하다
—

…
노리코
……

STAGE.07

틈을 노려라!

GunBuster

만화 Kabotya 원작 GAINAX

CONTENTS

고오오오..

키미코….

타카야.

우…
와아…!!

창밖을
좀 보렴.

…?

언니…?

엄청
크다…!

우주군 제1
우주 스테이션
실버 스타

정말로
우주에
왔구나…!

—나…

네,
알겠습
니다.

나는
볼일이
있어서
먼저 가마.

단말에
함내 지도를
넣어뒀으니
그걸로
확인해줘라.

너희들의
방은
No.99와
No.86이다.

당신의
남은 타이틀을
빼앗는 것도
시간문제라는
뜻이려나?

......

장미의
여왕님?

...그나저나
일부러
이런 곳까지
마중을
나와주시다니,

꽤나
한가한가
봐요?

서두르면
일을
그르친다고들
하잖아요.

조심
하는 게
좋을걸?

얘는
나와 같은
오키 여고
대표야.

무례한
언동은
삼가
주겠어?!

어머,
그거
미안하게
됐네.

오키 여고 대표는
분명,
그 카시…
뭐라더라 하는 애가
올 줄 알았거든.

아…
그건 아마
룩시온의
함장이셨던
저희 아버지
때문일
거예요….

타카야
…?

어디서
들어본 적
있는
이름인데
….

타카야
노리코
라고
합니다!

너,
이름은
뭐야?

…흐응…

그렇구나
….

네!

어머,
네가
타카야 제독의
딸이었어?

융,
미리 말해
두겠는데….

…

아…
네.

자, 타카야.
어서 방으로
가자.

자신의
실력으로
대표
자리를
거머
쥐었어.

타카야는
그
카시하라를
쓰러뜨리고

오호….

그럼
이만.

그 점
착각
하지
말도록
해.

타카야
라고…

했지…?

언니의 새로운 면을 보게 돼서 기뻤는걸요!

에헤헷.

하여간… 애도 참….

너희들,

지금 이런 데서 뭘 하고 있지?

이제 곧 대강당에서 집회가 있으니

코치님! 코치님이야 말로… 그 차림은 어떻게 된 거예요?

단말에 전송됐을 텐데, 확인하지 않았나?

즉시 정해진 옷으로 갈아입고 참석하라는 지시가

인사를 나눴을 뿐입니다.

아뇨… 그냥 좀 전에 융 프로이트를 만나서

무슨 문제라도 있었나?

아… 네… 죄송합니다….

그리고 타카야.

네….

…그런가.

뭐, 너무 몰입하지는 말고.

아… 네!

일류들의 싸움을 눈앞에서 볼 기회가 늘어나겠지.

앞으로는 아마노나 융과 같은

그럼 가능한 한 빨리 갈아입고 오도록.

이상이다.

…네… 알겠습니다.

하루라도 빨리 그 레벨에 도달할 수 있도록 말이야.

그 모습을 똑똑히 관찰하고 훔칠 수 있는 건 계속해서 훔쳐라.

그게 어디 말처럼 쉽겠냐고요….

언니 레벨에 도달하라고 간단히 말하였지만…

하아.

….

언니?

아무것도 아냐.
자,
어서
옷 갈아
입고
가야지?

...후훗,

과연
그럴까?

앗.
가, 같이
가요.

아아,
톱 훈련생
제군들.

나는
자네들이
탑승하게 될
전함 엑셀리온의
함장

이렇게
우주 스테이션
실버 스타에
모여줘서
고맙네.

타시로다.

우리는 그와 동시에 전면 공격을 감행한다!

우리의 적, 우주 괴수는 지금도 무시무시한 속도로 증식을 계속하는 중이고

이제는 한시도 지체할 시간이 남지 않은 상황이다.

엑셀리온은 현재 빠른 속도로 설계 및 구축 중이며

내년 2월 즈음에는 우주로 진출할 예정이지.

그리고 그때 제군들 중에서 최정예 부대, 톱을 결성해

최전선에 배치할 것이다.

톱 선발 시험은 머신 병기 전술의 기초에 준하여

파트너 선정은 각자 개인의 자유에 맡기겠지만

2인 1조의 유닛으로 행해지게 되며,

결과는 어디까지나 페어의 성적으로 판단된다.

이번 축하연이 자신의 파트너를 찾는데 도움이 되었으면 좋겠군.

그런 만큼 호흡이 잘 맞는 이들끼리 페어를 이루는 게 유리하겠지.

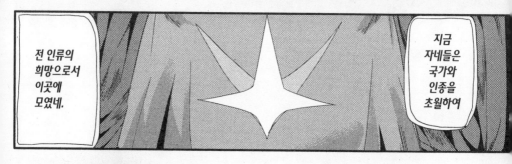

전 인류의 희망으로서 이곳에 모였네.

지금 자네들은 국가와 인종을 초월하여

함께 영광을 나눌 그날이 오기를 기대하겠다.

제군들의 활약이 지구에 평화를 가져오고

우리 인류의... 아니,

지구의 운명이 자네들에게 맡겨져 있다고 해도 과언이 아니야.

전 인류에 승리를!

승리를!!

진공 속에서 조종은 스러스터의 반동이ㅡ.

아마노 씨는 언제 우주에 도착 하셨나요?

다음에 꼭 한번 대련을 부탁드립니다.

웅성 웅성

시끌 시끌

……

우주든 지상이든 기본적인 조종법 자체에 변함은 없고ー.

...정말 대단하구나, 언니는....

융 씨도 마찬가지고….

알고 싶어? 그건 말이지ー.

예에ー? 그게 누군데요?

미안 하지만~~ 난 이미 파트너를 정했다니까!

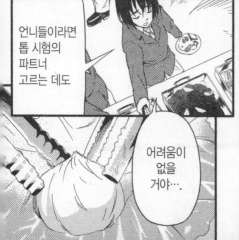

언니들이라면 톱 시험의 파트너 고르는 데도

어려움이 없을 거야….

나도 더 열심히 해야지….

이것이 젊은 파일럿들 중 최고봉에 위치한 사람들의 인맥…!

어—?!

먼저 집은 건
나니까,
먹을 권리도
나한테 있어.

엉?
그거야
보면
알지….

그것도
하나밖에
안 남았는데…

아…
이거
샤오룽바오
거든요…?

역시
융 씨와
함께?

아마노 씨는
누구와 페어를
짤 생각이세요?

—그나저나
아까 함장님도
말씀하셨지만,

그…
그렇겠죠…?
그럼,
린다 씨와?

농담도
정도가 있지!
그럴 리가
없잖아요!

!

아뇨,
저는….

—융?

저건…
타카야와…

아,
저어

무슨
일이시죠?

무슨 농담을 이렇게 하세요?

아… 저기…

어머나?

누구야, 쟨?!

말도 안 돼!!

융 씨의 파트너가 저런 꼬맹이?!

융 씨 정도의 실력자가 저 같은 애를 선택한 이유를 모르겠어서.

네 자료를 봤거든.

….

Takaya Noriko (타키야 노리코)

카시하라를 쓰러뜨렸다면서?

머신에 탄 지 고작 몇 개월 만에

아, 아뇨. 그게…

난 이렇게나 진심인데, 타카야는 농담으로 받아들이는 구나….

체격도 탄탄해서 힘든 훈련에도 잘 따라올 것 같고,

내가 너를 철저히 단련시켜줄게.

아직은 어설픈 면이 있지만 넌 분명 강해질 거야.

전투 기록도 봤는데,

네? 아… 저기―.

자, 그럼 어서 페어 신청을 하러 갈까?

거기! 시끄러!!

통통하게 살찌우는 게 아니고?

잠깐 기다려!

언니….

내가 타카야와 페어를 짜는데 네 허락을 받을 필요는 없잖아?

누구 마음대로긴….

무슨 일인지 몰라서 물어?!

어머나, 무슨 일이실까?

누구 마음대로 타카야를 데려가는 거지?! 융 프로이트!

타카야는…

그런 얘기가 아냐.

그럼 이제 품에서 아이를 놔줄 때가―.

아니면, 네가 무슨 타카야의 보호자라도 돼?

애초에 우린 서로의 파트너로서 지구를 출발한 거니까.

그건 오히려 그쪽이지.

...한발 늦은 주제에 너무 뻔뻔한 요구 아닌가?

톱 부대의 시험 통과를 위해 파트너를 제안한 건 나였어.

그거야 그냥 오키 여고에서 한 세트로 보냈을 뿐이잖아?

그러니까 나야말로 타카야와 페어를 짤 권리가 있을 것 같은데?

자꾸 쓸데없는 소리나 하면 날려버리겠어.

흥!

궤변을 늘어놓는 게 어느 쪽인지 모르겠네.

우리끼리 한 조가 되는 건 당연한 이치야.

궤변이군···. 페어로서 출발한 이상

32

똑똑히
말해
보시지!

장미의
여왕님!

큭….

아니면
뭐야?

나한테
시비를
거는 게
목적
인가?

나야
그래도
상관없지만.

….

…바…
악

흐응…
겁먹었나 봐?

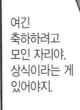

여긴
축하하려고
모인 자리야.
상식이라는 게
있어야지.

…바보 같은
소리 좀
그만하지
그래?

어… 어쩌지 —?

자, 그럼 타카야.

…아뇨, 아무것도 아닙니다.

어이쿠, 여긴 아주 떠들썩하군 그래. 무슨 얘기들을 나누고 있었지?

물론 명심하고 있습니다.

첫날부터 지나치게 달라진 말라고.

핫핫핫.

어쩌다 일이 이렇게 된 거지 —?!

나중에 또 보자구.

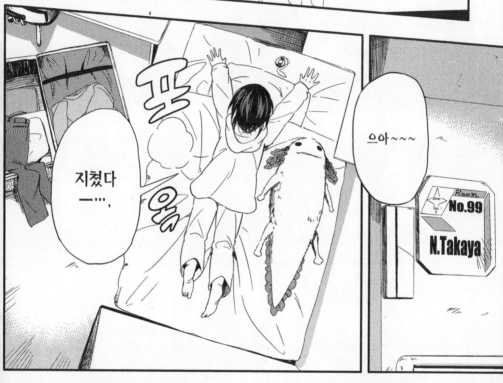

돼지가
될걸.

아는
사람…

단 한 명도
없고 말야!

아는
사람
이라곤

…하아.

내일부터
훈련인데,
좀 걱정
된다….

아무 일도
없으면
좋으련만….

이거 열심히 해야겠는걸, 타카야?

네!

군이 우리에게 얼마나 기대를 걸고 있는지… 보여주는 걸까?

하루라도 빨리 무중력에 익숙해질 수 있게, 각자 오늘의 훈련 내용을 확인하도록.

오늘부터는 우주 공간에서의 기동전을 기본으로 한다.

기본적인 조종 방식은 너희가 타왔던 지상 훈련용 기체와 다를 바 없지만,

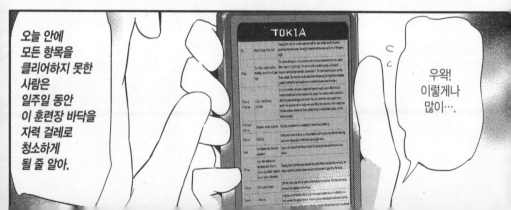

오늘 안에 모든 항목을 클리어하지 못한 사람은 일주일 동안 이 훈련장 바닥을 자력 걸레로 청소하게 될 줄 알아.

TOKIA

우왁! 이렇게나 많이….

우선은
엑셀리온
바깥
유영이다.

각자
정해진
코스를
따라서
돌고
오도록.

그럼
출발!

전함
엑셀리온
(구축 중)

아차차
차차….

지금은 훈련 중이야. 널 상대할 시간 따윈 없어.

…….

흐응… 그럴 줄 알았어.

도망치려고?

되지도 않는 수작에 어울리고 싶지 않다는 소리야.

내가 너 따위에게 질 리가 없잖아?

뭐어?

변명을 잔뜩 늘어놓고는 있지만, 결국 나와 정면으로 붙었다가 지는 게 무서운 거지?

…그렇다면

라고…?

…나 따위…

지금
이 자리에서
결판을
내주겠어!

계속해서
따라
다니기라도
하면
귀찮으니까,

이렇게
된 이상
어쩔 수
없군….

OK…
그렇다면
따라오시지.

저기요…
두 분…!

사령실
Commander Room

오오타
코치님.

……

어떻게
할까요?

N. Takaya

K. Amano

J. Freud

왜 그러지?

아마노,
타카야,
융의 기체가
훈련 코스를
이탈했습니다.

내버려 둬.

타앗!!

퍼
뜩

멍
엉

지금
말릴 수
있는 건
나밖에
없는데…!

멍하니
보고만
있을 때가
아니잖아!

......

이게

…그렇
지만,

초일류끼리의
싸움이구나….

요

요

요

콰

요

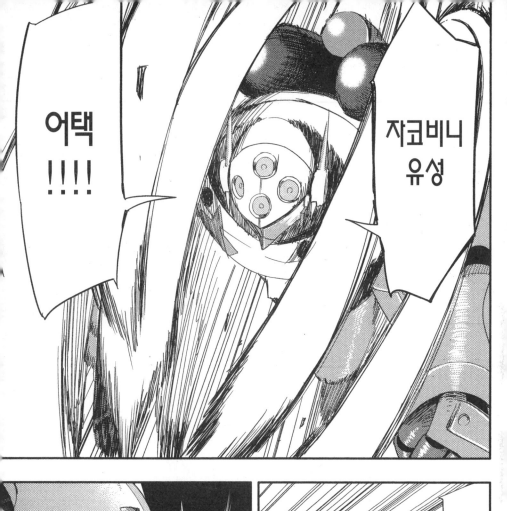

아직도 서 있을 수 있다니,

끈질긴걸.

...흥.

괜찮으세요...?

어...
언니,

맞아봤자 약간의 핸디캡 정도도 안 돼.

...그럼, 이런 애들 장난 수준의 기술은

...그렇지만

한 방 더 맞아도

말은 잘 하네.

......흥,

똑같은 소리를 지껄일 수 있을까?!

아무래도

여기까진가
보네.

분명
내 공격으로
날려버렸을
텐데…?

…큭,
어떻게….

뭐라고?!

스웨이백으로 공격을 반감시켰으니까.

그때 나는 네 공격을 정통으로 맞기 직전,

약했어.

...당연하잖아, 응.

설마 그 상태에서 그런 기술을 구사할 줄은....

그 반동을 이용해서 이나즈마 킥을 반전시켰던 건가?

저 아이 앞에서

과연 언니는 대단하세요!

내가

패배할 수는 없는 노릇이니까.

난 더 우수한 사람을 파트너로 삼으면 그만이야.

그보다도 융, 타카야에 대한 일 말 안 해도 알겠지?

흥. 됐어, 이제.

언니, 융 씨!

하여간... 귀여운 구석이라고는 찾아볼 수가 없다니까.

누가 할 소린데?

......

분명
그것이
상대방을,

또한
자기 자신을
향상
시킨다는 걸
알고
있으니까.

...이제야
알겠어요,
언니.

두 분은
서로를
너무도
잘 알고
있기에

솔직해질
수가
없었던
거로군요.

그런
관계가

이런 생각은
주제넘을지도
모르겠지만,

저도
도와
드릴게요,
언니!

엉커덕

...응?

어쩐지
좀 부러워요...!

STAGE.09

우주
괴수…

…아마도
이게
우리의 적,

뭐야,
이 괴물은
…?!

큭—!!

그 표본인
걸까…?

위험
해요…!!

언니!!

그렇다곤
해도,
설마 이런
장소에….

…뭐, 확실히

봐서 기분 좋을 만한 물건은 아니네.

여기에 있는 건 단순한 사체니까.

걱정 마, 타카야.

웃…!!

그래.

어서 나가자.

죽인 건 이런 놈들이구나―.

다정했던 우리 아빠를…

훈련 중 이탈.

군 시설의 불법 침입 및 파괴 행위.

따악

아직 기밀로 해두고 있던 적 표본의 노출.

정말이지... 착임 하자마자

터무니없는 짓을 저질렀구나, 너희들.

아...
넷!!

대답은
?!

그게
전부...?!

...네?

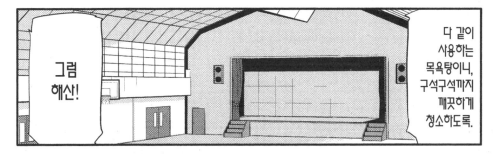

그럼
해산!

다 같이
사용하는
목욕탕이니,
구석구석까지
깨끗하게
청소하도록.

네!

......

두 사람의
싸움을 보고
어떤 생각이
들었지?

너는—

타카야.

무척이나 자연스럽다고 느껴졌습니다.

두 사람 모두 무척 강하고 멋있었어요.

그, 그게

마치… 언니와 융 씨가 머신하고 일체화 되기라도 한 것처럼….

아… 저어… 그게 전부가 아니고…

뭐라고 해야 하나.

…그렇겠지.

……

…파일럿에게 있어 머신이란 자신을 비추는 거울이다.

조종사의 마음은 그대로 머신에 드러나게 되지.

즉, 강한 파일럿이란 강한 기술만이 아니라 강한 마음도 겸비하고 있다는 뜻이다.

그 어떤 일에도 꺾이지 않는 노력과 근성을 겸비한 자만이

진정한 강함을 손에 넣을 수가 있어.

예! 알겠습니다!

너 역시 명심하는 게 좋을 거야.

나도 과거의 상관으로 부터 그렇게 배웠다.

그런데도 군의 규율을 위반한 것 치고는 처벌이 너무도 가벼웠어….

사령부는 우리의 행동을 시종일관 모니터하고 있었을 거야….

죄송합니다, 언니. 기다리셨죠?

아니….

…코치님,

설마 타카야에게 우리의 싸움을 보여주기 위해

일부러 말리지 않았던 건가요…?

보고 메모
생체 표본 UK-0002갑에 체조직
확성화 반응이 0.003초간 검출(재조

어머,
그랬나?

융!
그건 너한테도
똑같이
해당되는
말이거든?

뭐—?!

정말이라니까.
아마노가
들이대지만
않았다면
이렇게 되진
않았을 텐데.

똑
저렇다!

톱 부대
선발 시험을
가장 먼저
클리어해야
하니까.

최고의
파트너를
찾아내서

지금은
널 상대할
만큼
한가하지
않아.

하아.
관두자,
관둬!

너희와
싸우게
되더라도
절대 안 봐줄
줄 테니까

앞으로는
너도
라이벌이야.

앗...
네!

타카야.

......

각오
해두는 게
좋을걸?

쓰
악

네…!

바라던
바입니다!

…!

78

난 이만
실례할게.

그럼―

네….

그렇지만
질 수는
없잖아요.

이거
상당한
강적을
만들어
버린 것
같네.

후우
…

…당연
하지.

마지막에
이기는 건
우리들….

그렇죠,
언니…?

싫었어?
그럼
그만둘게.

어?
방금
노리코라고
이름으로…

할 수 없지….
오늘은
우리 둘이서
할까,
노리코?

어머,
슬슬
목욕탕
청소할
시간이네—

앗

삐
비
비
비
비
삐

아… 아뇨,
무척
영광이에요
!!!

오호호호
호호홋.

약았어
…!

응,
이게
은근슬쩍
오늘 청소를
빠져
나갔겠다.

네!

우주
괴수
표본실

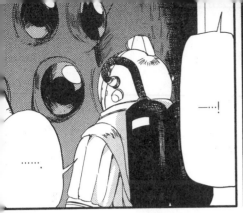

—…!

……

애초에
우주
괴수에게
죽음이라고
하는
개념이—.

그러니까
어디까지나
연관이
있다고
생각해야
하는 게—.

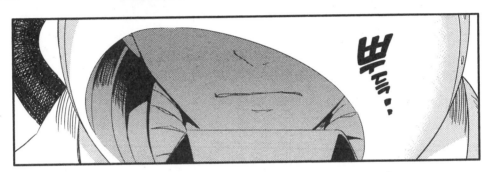

뿌득‥

서력
2015년.

은하계
페르
세우스
팔.

지구에서
1만 2천
파섹.

그 뜨거운
열정으로
인류를
구해주게나!

제독님 ─!!!

...잘들 가게.

기에
에에
에에
에엑.

기깃.

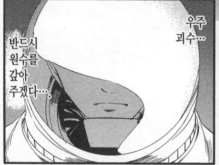

우주
괴수…

반드시
원수를
갚아
주겠다….

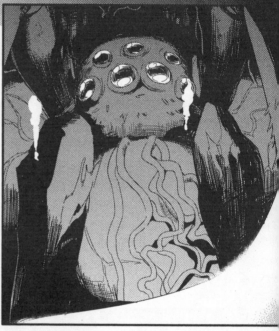

일주일 후―

…후우.

오늘은 여기까지만 하자.

…네.

유사 전투용 홀로그램 영사기

참 바 앙

싸깍 싸깍

싸깍

꽤로롱

…왜 이렇게 잘 안 되는 걸까.

기껏 언니랑 같이 페어를 맺었는데….

하아….

…타카야는
또 격추
당했나.

레이더가
이런 걸
포착
했습니다만.

해왕성

속도
c=99.8%[cm/s]

무슨
일이지?

코치님,
잠시 시간
되십니까?

…뭐야,
이건?

이건 도대체…

오오타,

함장실
The Captain's Cabin

이런 질량에 이런 속도라는 게 마음에 걸리는군요.

관측에 의하면 약 15시간 뒤에 해왕성 궤도를 스칠 것 같습니다만.

그렇군….

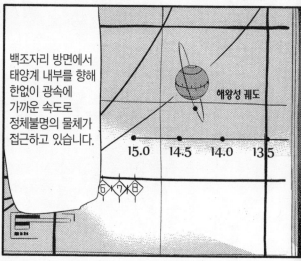

백조자리 방면에서 태양계 내부를 향해 한없이 광속에 가까운 속도로 정체불명의 물체가 접근하고 있습니다.

해왕성 궤도

15.0   14.5   14.0   13.5

실제로 가서 확인해보는 수밖에 없다는 소린가…

이곳에서 그 이상의 정보를 얻는 건 불가능했습니다.

강력한 전자파의 영향으로 인해

그 밖에 다른 정보는 없나?

네.

...으음, 괜찮겠지.

허가해 주시겠습니까?

모처럼의 기회니 만큼, 훈련도 겸해서 톱 후보생을 보내는 게 어떨까 합니다.

문제는 누굴 보내는가 인데….

바로 계획을 세워주게.

예, 알겠습니다.

真実一路

여탕

청소 중

참 좋다. 그치, 린다?

후아~~.

나는 린다와 페어를 맺고부터는 패배를 모르는데 말이야.

결국 우리 최강 페어의 상대는 아니었다는 걸까?

너희 요즘 영 맥을 못 추는 것 같더라?

과거의 일은 벌써 다 잊었어.

나는 현재를 살아가는 여자라서.

이럴 때만 잘난 척하니까.

어머나? 나와 짜기 전에는 타카야 씨를 찾아갔던 주제에.

저희 성적이 안 좋은 건, 전부 제가—

아… 저어….

융.

뭐야, 그게…?

정말이지, 얘는… 제멋대로라니까.

어머나, 무섭기도 해라.

외부에서 쓸데없이 참견하지는 말아줬으면 좋겠는데.

우리에게는 우리의 페이스가 있어.

...

언니….

네.

룩시온의 함장 타카야 제독님의 딸이라고 했지?

그러고 보니, 타카야 씨는

Sauna Bath
사 우 나

그러… 네요….

물론 그 이유도 있어요.

그럼 타카야 씨가 파일럿이 되려고 하는 건

아버님의 뒤를 잇기 위해서야?

만약 살아계신다면 제가 오기를 기다리고 있을지도 모르거든요.

실은 아버지가 진짜로 죽었는지 어떤지 정확하게는 몰라요.

…….

그 이유도?

우주 파일럿이
돼서
아빠를
찾으러 간다.

그게
또 하나의
이유에요.

참 장하네,
타카야는.

아,
아뇨.
그런 건….

…그렇
구나.

제 꿈을
응원해준 친구가
있으니까요.

─그리고
저에게는…

...아... 하하,

그야 물론 최고가 되기 위해서지!

그... 어째서 파일럿이 되려고 하신 건가요?

...융 씨는...

그 시점에 이미 내 장래는 결정돼버린 거야.

나는 어릴 때 파일럿 적성이 발견되자마자

월면에 있는 파일럿 육성 시설로 보내졌거든.

선택지가 왜요?

—뭐, 농담 빼고 말하자면 달리 선택지가 없었던 탓도 있어.

거기 있는 여왕님을 만나기 전까지는... 말이지.

뭐, 그렇다고 해서 지내기 힘든 곳은 아니었지만. 내가 진 적이 없기도 했고.

어마어마하게 스파르타라서 부모님도 만나지 못한 채, 아무튼 일등이 되라는 말을 들으며 자랐어.

103

있잖아,
타카야.

너희
아버지는
어떤
분이셨어?

......

......

저희
아빠는….

저희…

축하한다,
노리코.

네….
생일이었네요.

─생일,

아버지는
매년 제 생일에는
반드시
돌아와주셨어요.

제 생일을
축하해
주셨죠.

둘이 함께
케이크를
먹거나
하면서

아마 그래서
저는 아직까지
아버지가
죽었다는 걸
믿지 못하나
봐요.

돌아오지
않는
사람이 되어
그 약속은
이루지
못하셨어요.

아버지가
마지막 항행에
나섰을 때도
제 8살 생일 때는
돌아와서
같이 축하하자고
약속했었지만,

타카야 씨의
생일은
언제야?

…저기,

…

아♥
하♥

굉장하다. 어쩜 이런 우연이 다 있담…!

―진짜?!

9월 12일… 인데요.

시끌벅적 하게!!

이 우연을 기념해서 다다음 달 생일에는 합동으로 버스데이 파티를 열자.

그래요?

똑같잖아! 내 생일 이랑!!

감추다니, 무슨 소리야! 대대적으로 알려야지!!

으와왓. 잠깐만요, 융 씨. 좀 감추세요…!!

아뇨, 그게 아니라…!!

여탕

청소 중
Now Cleaning

좋아. 그렇다면 일찌감치 준비를 해야겠지…!

예? 아… 허― 그아악!

우리에게는
우리만의
페이스가
있으니까.

융이
한 말은
신경 쓰지
않아도 돼.

네….

그럼,
우린
먼저
간다.

노리코.

아…

네에….

역시
내가 더
열심히
해야 돼.

언니는
그렇게
말해
주셨지만,

어이쿠!

―앗,
넌 그때
그…!

위험하잖아.
앞을 잘 보고
걸어야지―.

언니를
볼 면목이….

더욱 더
열심히 하지
않으면…

…뭐야,
저거?

어제
함내 시계 1900에
태양계로 접근하는
정체불명의
광속 이동 물체가
관측되었으며,

다음날
아침
체육관

오늘은
훈련과는
별개로
특별 임무반을
편성하겠다.

사령부는
훈련의
일환으로서
너희들에게
그 정체를
확인하는
역할을
부여할
생각이다.

단,
훈련이라고는 해도
자칫 잘못하면
목숨을 잃을지도
모르는
위험한 임무다.

내가 백업으로
들어가겠지만,
안전을 생각하면
정원은 두 명이
한계야.

워프 항법과
아광속을
체험할 수 있는
귀중한
기회니만큼,
지원자는
이름을 대도록.

임무 개시는 1시간 후. 시간이 없으니 중도 사퇴는 받아들이지 않겠다.

이를 감안하고도 입후보할 자,

자, 누구 없나?

ㅈ⋯ 용⋯

그보다는 어떻게 해야 노리코가 우주 괴수 트라우마를 떨쳐낼 수 있을지부터 생각해봐야 해⋯.

⋯지금의 우리로서는 힘들겠지―.

시켜만 주십시오!

코치님, 제가 하겠습니다!!

노리코—?!

아마노, 타카야 페어인가…

좋다.

그럼 곧바로 임무 내용을 설명할 테니,

10분 뒤에 사령실로 오도록.

이상!

도대체 뭘 어떻게 하려고?!

왜 그런 거야?

Locker Room

노리코!

팟

앙

이 얘기를 들었을 때 뭔가 느껴지는 게 있었어요···.

하지만···

죄송합니다, 언니···.

초조해할 필요는 없다고 했지?!

그런 예감이 말예요!!

이 작전을 성공시킨다면, 나는 뭔가를 뛰어넘을 수 있을 것 같다.

아뇨!

알고 있습니다!

자칫 잘못하면 죽는다는 거 몰라서 그래?!

예감만 갖고 그랬단 말야···?

이건 장난이 아니거든?!

......

단!

언니ㅡ.

내가
져줘야지,
뭐 어쩌겠어.

...그래,
알았어.

그리고
나나 코치님이
하는 말은
반드시
지키겠다고
약속해줘.

절대로
무리는
하지
말 것!

네!

아―….

알겠습니다,
언니!!

…좋아.

그럼
출발 준비를
하도록 해.

우리의
작전은
벌써
시작
됐으니까.

언니...

정말
고마워요!

......

노리코,
준비는
됐니?

네,
언니.

임무 직전,
7월 21일
07:55.

자동 조종으로
목표와
같은 속도인
아광속으로
가속한다.

속도가
동조되면
목표를
육안으로
관찰할 것.

후에
너희들의
부스터를
분리한 뒤,

체감 시간은
고작
몇 초겠지만,
인아웃 시의
공중 진동에
집중력을
흐트러뜨리지
않도록.

아까도
말했다시피
목표
부근까지는
워프 항법으로
접근한다.

예정대로 10분 동안 임무를 완료한다면 이쪽 날짜로 9월 11일에는 돌아올 수 있을 거야.

또한, 아광속 중에는 이곳과 시간의 흐름이 달라지는 만큼

기내에는 상당히 높은 G가 걸릴 것으로 예상된다.

RX-7(개)는 높은 가속에도 버틸 수 있는 최신예 기체지만,

넷!!

조작을 미스해서 우주를 헤매고 싶지 않다면 절대 방심하지 않도록!!

잘하고 와.

예정대로 돌아오면 마침 파티 전날이니까,

타카야.

네.

후훗, 자신이 넘치네. ...그렇게만 하면 돼.

융 씨 혼자서 나이 먹게는 안 할게요.

이제 슬슬 출발할 시간이야.

어서 이탈하도록 해.

융.

...있잖아. 타카야.

혹시라도 내가 괜한 소리를 해서 그런 거라면….

꼭 무사히 데려 오라고.

무슨 일이라도 생기면 용서 안 할 줄 알아.

타카야는 파티의 주빈이니까,

나, 나도 알아. 그것보다도!

이

이 끼

잉

이

이이

이 이 이 양

둘 다…

조심해서
다녀와ー.

슈웅

〈톱을 노려라!〉 디자인 강좌

본편에서 활약하는 [머신 병기 RX—7]은 카토키 하지메 씨가
리파인해준 버전을 사용했어. 여기서는 노리코 기체를 소개할 테니,
OVA 버전과 어디가 다른지 비교해보는 것도 재미있을 거야!!

Part.1

노리코 기체

OVA Ver.

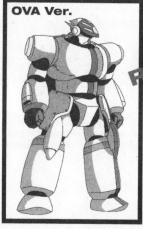

FRONT

Refine!!

→주인공 타카야 노리코가 탑승하는 머신 병기가 새로운 모습으로! '나우시카'라는 애칭을 지닌 이 기체가 보다 더 스타일리시한 디자인으로 등장. 머리와 다리 등에 가젯이 추가되었고, 흉부에는 인상적인 라인이 그어졌다.

BACK

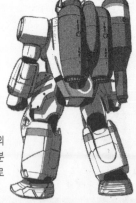

→머신 병기의 뒷면. 히리부분은 붉은 계열로 칠해져 있다.

OTHER

←기체 뒷면에는 스러스터와 함께 애니판에서 등장했던 캘리포늄 핵탄두를 탑재할 수 있으며 근접 전투용 플라즈마 랜서도 장비할 수 있다.

룩시온…

어째서
여기에—?!

주군 최초의 초광속 함대

전기함 룩시온은 침몰했나?

자리 방면 250광년 공역에서 소식 두절.

아빠가
마지막으로
탔던 배—.

.co.jp :

JTAN.co.jp

홈 포토 기사

인류 최초의 초광속 전함 전멸

2015.12.20. Sun posted at. 15:12 JST Updated]

인류 최초의 초광속 전함으로서 우주로 출항한 룩시온 함대가 지구에서 침몰되었다. 하사관 47명이 기적적으로 생환하였으나 남은 승조원 537명의 생사는 원회에서는 티카야 제독의 판단 미스를 놓고 조사를 이어가고 있다.

꽈 악

웃-!!

이런, 아마노!
타카야를
보내지 마라!!

네!

STAGE.11

타카야 수색은
내가 할 테니,
너는 회수정에서
감속 준비를 하고
기다려!

선복의
파손 부분을
통해
내부로 진입.
연락이
두절됐습니다.

아마노!
타카야는?

안 돼!
허가
할 수 없다!

허가해
주십시오!!

제가
들어가서
데려오겠
습니다!

그럼
부탁드립니다,
코치님!
제가 책임을
다할 수 있게
해주세요!!

그게
아니야.

제 실력을
의심하시는
건가요?!

코치님!

그… 그렇지만 ….

나는 너희들의 코치다. 내가 가야 해!

입 다 물어!

나 자신이 해결하지 않으면 안 되는 문제다.

더구나 이건

상관 명령이다. 당장 회수정으로 돌아가.

지금은 설명하고 있을 여유가 없어.

무슨 말씀이시죠 …?!

…

알겠…

습니다.

큭ㅡ.

이 함내는
전투가 있던
날로부터
아직 이틀밖에
지나지
않았구나….

기한 월말

2015년….

서두른다면…

그럼
혹시

노리코.

다녀왔다,

아직 늦지
않았을지도
몰라―.

찾아야
해.

한시라도
빨리.

난 여기
있어―.

어디야?!
들리면
대답해줘!

아
빠
―!

코치님,
접현
완료했습니다.

그래.

…10분이다,
아마노.

귀환용
워프 좌표는
입력해뒀으니까.

10분이 지나도
내가 돌아오지
않는다면,
내버려두고
철수하도록 해.

부탁하마.

…예….

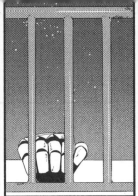

쿡…!

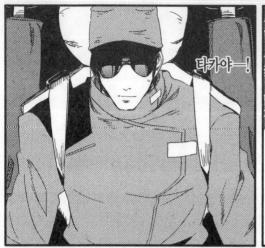

아빠는
분명
여기에…

기다려…
아빠….

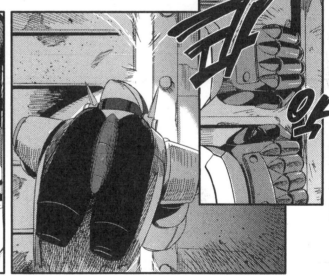

갈
테니까ㅡ.

지금…

!

아빠…

안 돼,
참아야 돼.
아빠는 나보다
더 배고플
테니까.

왜냐고?
그렇게
약속했는걸.

…아빠는
꼭 건강히
돌아올 거야.

나만은
언제나 믿고
있으니까ㅡ.

제1함교
Main Bridge
룩시온 사령실

타카야!

큭―….

어서
돌아
가야지.

뭘 하고
있나?

그냥
내버려
두세요.

…….

......

이제
저한테는
아무것도
없어요.

더 이상
노력할 이유도
없고요….

하다못해,
마지막은
아빠가 잠든
이 장소에서

마음만이라도
아빠와 함께
있고 싶어요.

아빠도 분명
그걸 바라고
있을 테니까….

아무것도 안 남았다고?

아버지가 그걸 바랄 거라고?!

웃기지 마라!

이 멍청한 녀석!!

제독님께서 꼴사납게 위축된 딸을 보고 기뻐하실 것 같나?!

그럴 리가 없잖아!

코치님이 아빠의 뭘 안다고 그러시는데요?

...함부로 말하지 마세요.

이렇게 한심한 딸로 자라났는가 싶어서

실망 하실 게 뻔하지.

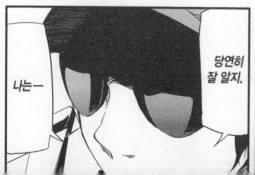

나는—

당연히 잘 알지.

타카야 제독님의
부관이었으니까.

…?!

타카야 유조 제독님 밑에서 룩시온… 이 배에 탑승하고 있었다.

당시에 나는 외우주 탐사의 임무를 받고

사실이다.

거… 거짓말…. 설마… 어떻게 그런 일이….

제독님은 강인한 정신력과 냉정하고도 정확한 판단력의 소유자였지.

그러면서도 친해지기 쉬운 온화한 성격 덕에 승조원들 모두의 절대적인 존경과 신뢰를 받고 있었어.

미지와의 조우로 허둥대던 우리들에게

제독님은 혼자서 냉정한 지휘를 내리셨지.

그러다가 그날 함대에 비극이 벌어진 거야.

물론 나 역시도 존경하는 분이었고 많은 걸 배울 수 있었다.

제독님은 아무런 망설임도 없이 나를 살리는 것을 선택하셨어.

그러나 마지막 탈출정에 남은 좌석은 하나뿐이었고…

나는 제독님과 함께 탈출정으로 향했다.

하지만 응전도 소용 없었고 결국 제독님은 퇴각을 선언.

그리고 경애하던 분의 목숨과 맞바꿔서 살아남아버린 나의 무능력함을 자책하기 시작하면서

동료들을 잃은 슬픔은 우리에게 씻을 수 없는 상처를 남겼다.

그 후, 우리는 간신히 지구에 돌아올 수 있었지만

내가 살아난 것에 도대체 무슨 의미가 있는 걸까.

제독님은 어째서 날 살리신 걸까.

나는 필사적으로 생각했지.

내가 할 수 있는 일이 뭐가 있을까.

설령 코치님의 말이 사실이라 하더라도,

그래서 저에게 뭘 바라시는 건데요…?

…하지만

우리 아빠가 죽어버렸다는 사실은 변하지 않아요.

아빠를 위해 파일럿이 되고 싶었던 저는

도대체 이제부터 뭘 하면 좋죠?

지금
네 주위에는
수많은
사람들이
있다.

너를
지켜봐주는
어른들을
비롯해서

타카야….

그리고
너를 믿어준
친구,

그중에는
너로 인해
쓴맛을 본
녀석도
있었지.

너를
향상시키는
라이벌들,

함께 손을 잡고
이끌어줄
파트너.

현재
네 앞길을
비춰주는
것은

너희 아버지
한 사람만이
아니야.

시간은 천천히,
그러나
확실하게
순간순간을
새기고 있다.

제아무리
과학이
발전하더라도
지나간 시간을
되돌릴 수는
없지.

짤
르
릉

…타카야.

마지막으로 한 번만 더 물어보마.

여기에 머무를지, 나와 함께 돌아갈지.

네가 선택해라.

언제나 열심히 노력하는 노리코가

아빠는 정말 좋단다.

—있지, 아빠.

아빤 노리코 좋아해?

그럼, 물론이지.

노리코도 아빠가 너무 좋아!

만세에!

...알겠 습니다....

저... 돌아가겠어요.

모두가 있는 곳으로.

네….

…그럼
갈까?

선체 쪽에
회수정의 암을
접현시켜놨다.

…?

......
제···독님···?

?!

훌륭하게
성장했군,
오오타.

그 후로
얼마나
노력했을지
눈에 선해.

자네가
무사해서
정말로 다행이야.

......

노리코를 잘 부탁하겠네.

모자란 딸이지만,

...예, 제독님.

정말 감사합니다....

…미안, 아무것도 아니야.

어서 가자….

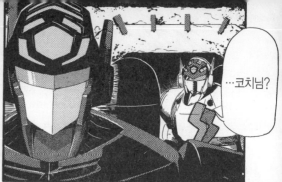

…코치님?

응?

꾜

으

으

요

으

파아

야

모르겠어요. 룩시온이 돌연 가속하기 시작했습니다.

무슨 일이냐, 아마노?!

코치님!

뭐지—?

폭주인가 …?!

크윽…!

162

어서
탈출하세요!

회수정으로
이 가속을
따라가는 건
앞으로
30초 정도가
한계입니다!

타임
리미트
까지
27초—

그래,

가자,
타카야!!

알았다!

〈톱을 노려라!〉 디자인 강좌

Part.1에 이어서 카토키 하지메 씨가 리파인한
[머신 병기 RX-7]을 소개! 카즈미 기체, 융 기체, 코치 기체가
새롭게 디자인되어 본편에 등장한다!!

Part.2

카즈미 기체

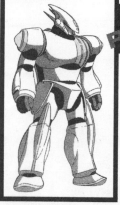

OVA Ver.

Refine!!

FRONT

→이번 코믹스판에 등장한 '라파인 ver.'. OVA의 스타일리시한 분위기는 그대로 두고 중후함이 느껴지는 가젯이 추가되었다.

→가슴 부분의 변경된 라인이 인상적! 뒷면에는 카즈미의 이니셜 'K'가 적혀 있다.

BACK

융 기체

OVA Ver.

Refine!!

→컬러링은 OVA와 거의 같지만, 실루엣이 다른 기체들과 마찬가지로 더 샤프해졌다.

코치 기체

OVA Ver.

Refine!!

→융 기체와 마찬가지로, 컬러링 자체는 OVA를 답습하면서도 검게 쫙 빠진 기체로 완성됐다.

STAGE.12

아…
네!

이젠
시간이
없어….

어서…
빨리
나와요….

삣
삣

크르르르를

으....

엎드려라,
타카야!!

일어서!

이쪽이다!

이대로 있다간
우리 둘 다
우주를 떠돌다가
돌아갈 수
없게 된다고!

멍하니
있지 마!

저를
신경
써주시는
건가요?

코치님은
왜 그렇게
까지

뭐냐?

......
코치님.

이런 곳에서
죽게
만들 수는
없다.

다음 세대를
짊어질
귀중한
인재를

...나는
네 코치니까.

172

...네.

쓸데없는
소리하지
말고
조종에나
집중해!

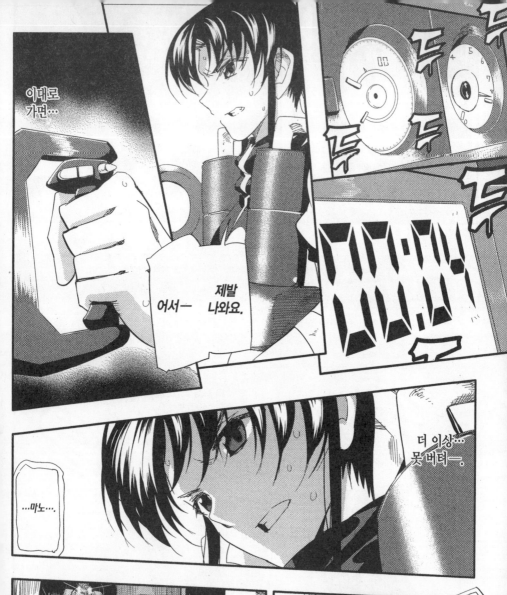

이대로
가면…

어서— 제발
나와요.

더 이상…
못 버텨—.

…마노….

아마노!!

어떻게 늦지는 않았군.

노리코! 코치님!

?!!!!

언니…

타카야! 저기다!!

뛰어내려!!

—!

아까의 폭발로…?!

빌어먹을….

제독님—.

코치님!!

이젠… 어떻게 하지—?!

노리코?!!

언니!!
지원
부탁드려요!

제발요!!
어서ㅡ!!

코치님!

이 에테르의
폭풍을
단기 부스터로
지탱할
수는ㅡ.

무모한
짓이야!

큭ㅡ.

넷!

암을 회수하고
전력 감속!!
서둘러라!!

좋아!

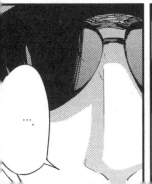

...

룩시온
….

잘 가,

바이바이,

아빠.

그런가
….

…15초
입니다.

아마노…
몇 초나…
늦어졌지
…?

……

귀환 축하해!!!

워이잉-

짝 짝

짝 짝

짝

짝

어서 와.

고생 많았어!

시간이 많이 걸려서

걱정 했잖아.

보고는 들었지만, 타카야가 여러모로 고생 많았다면서?

으… 으응….

....

괴로운 일은 이 파티로 다 날려버리자고.

왜… 왜 그래, 린다?

분위기 파악 좀 해.

잠깐, 융!

엑셀리온도 벌써 완성돼서 다음 주에는 출항식이거든?

모처럼 내가 초대해준 건데 말이지.

…그나저나 계속 기다렸는데, 이렇게까지 생일 파티에 늦는 사람은 처음 이라니까.

우리한테는 반년이나 전의 일이지만,

저 애들은 고작 한 시간 전에 겪은 일이란 말야.

고맙습니다.

린다 씨, 융 씨.

저어…

…하지만….

나… 나도 알아, 그런 것쯤은.

다음에는… 내년 생일 파티는 꼭 같이 열도록 해요.

올해는 참석하지 못했지만,

그럼,
물론이지!

......

이번
너의 행동은
도저히
묵과할 수
있는 게
아니다.

추후
너에
대한
징벌을
결정할
테니,

타카야.

네.

알겠습
니다.

...네,

...

그때까진
방에서
대기하며
머리를
식히도록.

...

아마는
탁했다야 귀환 죽아애!!

이만
실례하겠
습니다.

그렇지
않아.

일의 중대성을
고려하면
당연한 조치다.

방금 전엔
너무 심한 거
아닌가요…?

지금은
혼자 있게
해주고
싶으니까.

그리고…

No.99
N.Takaya

타카야.

......?!
이게
뭔가요?

이걸
받아라.

제독님께서
너에게 주는
선물이다.

지

지

지

지

오랜...만
이구나...

노리코.

부

우

응

약속
못 지켜서
미안하다.

8살 생일에
돌아가겠다고
해놓고

이런 아빠를 용서해 달라고는 하지 않으마.

다만, 한 가지만은 꼭 기억해다오.

매번 노리코를 혼자 쓸쓸하게 하다니,

참 못난 아빠지.

노리코가 괴로울 때나 슬플 때에는 언제나 아빠가 지켜보고 있다는 걸 떠올리렴.

노리코를 지켜보고 있을 거란다.

앞으로 노리코에게 무슨 일이 벌어지더라도, 아빠는 이 별들과 함께

그렇게 해서 조금이라도 노리코의 힘이 된다면 아빠는 정말 기쁠 거야.

아무리 떨어져 있어도 아빠는 항상 노리코의 행복을 바라고 있으니까.

이번엔
약속대로
내 생일날
돌아와줘서….

아빠…
고마워.

아빠….

아빠아….

Room
No.03

K.Ohta

작가후기
Kabo Wabo

카보챠예요.

드디어 나왔습니다. 톱을 노려라! 2권!!

바로 다음 날 조깅 하던 도중—

곧바로 아스팔트에 때려박고 말았습니다.

아얏ー!!

근황 보고 겸 잡담. 작년 말에 드디어 스마트폰 데뷔!

작중의 노리코 거랑 똑같은 기종이다···

소중히 다뤄야지··· 크후후훗···

소중하게 다루면서 고장날 때까지 오래오래 쓰겠노라 다짐했건만,

사모예드 스타일

이미 만신창이가 되었답니다···

···.

후우ー.

그렇게 생각하고 방심하며 작업하던 중에

스트랩을 달아두면 괜찮겠지.

용은 예쁘고
움직임이
좋아서
좀 더
활약하는
장면을
넣어주고
싶어요…!

그리고
내용면에서는
이번 권에서
메인
캐릭터들이
모두 모였죠.

많이
기대해
주세요☆

3권 이후의
전개도
이것저것
생각해
봤어요.

아직
이야?

건버스터도
나올…
지도…!

다음
권부터
본격적인
전투에
돌입
합니다.

그럼
3권에서
다시
만나요!

나치오코!

스페셜 땡스

담당 키우치 씨
사토 점장님(GAINAX)
카토키 하지메 님(머신 디자인)

요시키 씨 요시무라 씨 타코스 씨
그리고 이 책을 봐주신 독자 여러분
모두 정말로 고맙습니다…!!!

197

톱을 노려라! 2

2024년 4월 23일 초판 인쇄　2024년 4월 30일 초판 발행

만화_ Kabotya　**원작**_ GAINAX

번 역_ 허윤　**발행인**_ 황민호　**콘텐츠1사업본부장**_ 이봉석
책임편집_ 장숙희/윤찬영/전송이/조동빈/옥지원/이채은/김정택

발행처_ 대원씨아이　**주소**_ 서울특별시 용산구 한강대로 15길 9-12
전화_ 2071-2000　**FAX**_ 797-1023　**등록번호**_ 1992년 5월 11일 등록 제 1992-000026호

ISBN 979-11-7203-070-4 07830　ISBN 979-11-7203-068-1(세트)

TOP O NERAE! Vol.2
©BANDAI VISUAL · FlyingDog · GAINAX
First published in Japan in 2012 by KADOKAWA CORPORATION, Tokyo.
Korean translation rights arranged with KADOKAWA CORPORATION, Tokyo.